아시아지역학의 경영학적 접근

아시아지역학의
경영학적 접근

대한아시아지역학연구회 지음

아시아지역학을 경영학으로 바라보다

아시아지역학은 인고의 산통 끝에 탄생한 아시아의 고유하고 독창적인 신생 학문이다. 그 소중함은 이루 말할 수 없으며 아시아의 학자 모두가 귀중함을 폭 넓게 느끼고 있다.

여러 학문이 아시아지역학 탄생에 큰 도움을 주었지만, 산파 역할을 한 것은 경영학이다. 아시아 경영학자들의 헌신이 없었다면 우리는 아시아지역학이라는 학문을 볼 수 없었을 것이다.

21세기는 아시아의 시대로 여겨지고 있다. 서구의 지식인들도 아시아를 주목하면서 더욱 발전하고 있다. 이러한 아시아의 부상 속에서 아시아지역학을 다시 돌이켜 볼 필요성은 필연적으로 제시될 수밖에 없다.

그렇기에 우리는 아시아지역학의 산파이자 학문적 토대가 된 경영학적 관점에서 다시 근원적으로 접근하고자 한다.

아시아지역학은 경영학과 불가분의 관계이며 아시아지역학은 경영학과 같다고 말해도 과언이 아닐 것이며 아시아지역학의 학사 학위는 사실상 경영학 학사 학위와 같은 학위인 것으로 여겨진다.

경영학적 관점을 통해 아시아지역학을 다시 재조명하면서 새로운 아시아 시대를 준비하는 데 본 저서가 좋은 참고서가 되기를 바란다.

목 차

아시아지역학의 경영학적 접근

제 1 부

경영학개론

Principles of Management

서론

Foreword

아시아지역학은 서방의 아시아 식민 지배가 자행된 제국주의 시기를 지나 아시아 대부분 국가가 독립하며 자주적인 정권을 수립하는 시기부터 대두되었다.

이 시기에 상대적으로 편견 없고 자유로우면서도 국가적 지원을 많이 받는 경영학자들에 의해서 경영학적 이론을 그 학문적 근거로 하여 아시아지역학은 본격적으로 태동했다.

이후에도 아시아지역학은 경영학과 보폭을 맞추면

서 발전했고 비아시아 지역의 경영학자들도 아시아지역학 연구 및 발전에 참여하면서 경영학과의 깊은 유대감을 가지게 되었으며 일각에서는 하위 학문으로 불릴 정도이다.

그러므로 아시아지역학을 연구하는 학자에게는 반드시 먼저 경영학개론을 학습해야 한다. 특히 경영학은 기본 단위로 기업을 제시하므로 이를 일반론적으로 이해하면서 국가나 기타 조직으로 확대하여 해석할 필요도 요구된다.

한편 경영이란 인적 및 물적 자원을 조직하고 총괄하는 일련의 활동을 의미한다. 따라서 이러한 경영에서는 반드시 투입과 산출이 이루어지며 그것이 가장 극적으로 일어나는 조직이 기업이며 이는 경영에서 몹시 중요한 조직이다.

그 가운데 기업 조직의 특성을 학습하고 기업이 성과를 창출하는 데에 필요한 경영 활동의 기본적인 원리와 내용을 학습해야 하며 기업 경영의 최근 경향을 깊이 살펴야 한다.

그러면서 기업의 효율적인 경영 관리와 관련된 기초적 이론을 습득하고 경영 관리자로서의 기술을 익히고 능력을 기르며 오늘날의 기업 조직이 겪고 있는 불안정한 경영 상황을 살펴보고 이러한 문제에 대응하는 데 필요한 조직 구조 설계, 구성원 태도 및 행동에 대한 이해 및 리더십과 관련된 기초 개념, 최신 이론 등을 두루 학습해야 한다.

한편 학부생 과정에서 아시아지역학을 연구 및 학습하는 학생들에게 경영학적 이론과 이해력이 깊이 요구된다. 그러므로 매일경제신문에서 실시하는 매경TEST나 한국경제신문에서 실시하는 TESAT을 응시하는 것을 권장한다.

매경TEST와 TESAT은 거의 동일한 내용을 다루는 시험이므로 같은 것으로 여겨지지만 매경TEST가

좀 더 난도가 있는 편이다.

이외에도 한국생산성본부에서 실시하는 SMAT도 함께 치도록 권장하여 기본적인 경영학적 능력 배양을 통해 좀 더 손쉬운 학습을 가능하도록 가이드라인을 제시하기도 한다.

결론적으로 아시아지역학은 경영학과 거의 물아일체이며 경영학적 이해 없이는 그 어떠한 접근이 어려우므로 경영학의 배경지식을 먼저 잡을 필요성이 강하게 제기된다.

기획론

Public Planning

기획론은 미래의 목표를 설정하고, 이를 달성하기 위한 과정을 계획하고 실행하는 과정을 연구하는 학문이다. 그러므로 기획은 기업, 조직, 개인 등 다양한 주체가 미래의 목표를 달성하기 위해 수행하는 활동 전반을 의미한다.

이러한 기획을 연구하는 기획론은 20세기 초에 미국에서 탄생했다. 초기의 기획론은 주로 기업의 경영전략과 관련된 연구를 중심으로 이루어졌다. 이후 기획론은 조직, 사회, 개인 등 다양한 분야로 확대되었다.

또한 그 발전상은 오늘날에도 지속해서 이어지고 있다. 새로운 경영 환경과 기술의 변화에 따라 기획의 방법과 내용이 변화하고 있다.

한편 기획론은 미래에도 더욱 발전할 것으로 전망된다. 기후 변화, 기술 발전, 사회 변화 등 다양한 도전에 직면한 현대 사회에서 기획은 미래의 목표를 달성하기 위한 필수적인 활동이다.

앞으로 기획은 융합적으로 발전할 것이다. 기획은 그 특성상 기업, 조직, 사회, 개인 등 다양한 분야에서 이루어진다. 따라서 융합적 기획론을 통해 다양한 분야의 기획을 연계하고, 통합적인 관점에서 기획을 수행하는 것이 중요해질 것이다.

또한 인류에게 기후 변화, 환경 오염 등 지속 가능성에 관한 관심이 증가하고 있다. 따라서 지속 가능한 기획론을 통해 환경과 사회에 미치는 영향을 고려한 기획을 수행하는 것이 중요해질 것으로 전망된다.

기술적으로는 인공지능의 발전으로 기획의 효율성과 정확성이 향상될 것이다. 따라서 인공지능을 활용한 기획론을 통해 기획의 자동화와 최적화를 이루어내는 것이 중요해질 것이다.

우리는 이와 같이 기획론을 학습하여 현재 상황을 분석하고, 미래의 가능성을 발견하며, 이를 현실로 만들어 낼 수 있을 것이다.

소프트웨어와 컴퓨터적 사고

Software and Computational Thinking

컴퓨터 기술이 발전하면서 모든 학문 중에서 가장 먼저 전면적으로 컴퓨터를 받아들인 것은 경영학이다. 이러한 점에서 현대 경영학을 이해하려면 컴퓨터를 이해해야 하고 그러기 위해서는 먼저 컴퓨터가 문제를 해결하는 컴퓨터적 사고를 인간도 알아야 한다.

특히 이러한 것 중에서도 컴퓨터적 사고는 복잡한 문제에 대해서 컴퓨터를 활용하여 효과적으로 해결할 수 있는 사고방식이며 컴퓨터적 사고의 기본 개념인 문제 분해, 추상화, 알고리즘, 데이터 구조 등을 학습해야 한다. 또한, 컴퓨터적 사고를 활용하여 실제 문제를 해결하는 방법을 습득할 필요성도 제시된다.

또한 위에서 언급한 컴퓨터적 사고를 쉽게 이해하고 그 근간이 되는 언어인 프로그래밍 언어를 쉽게 학습하려면 MIT 미디어 랩에서 개발한 프로그램인 '스크래치(Scratch)'를 통해 기초를 다지는 것도 좋은 방안이다. 이 프로그램은 사건 기반 프로그램이면서 직관적이기에 초보자에게도 용이하게 사용할 수 있는 장점이 있다.

그러므로 소프트웨어와 컴퓨터적 사고는 컴퓨터와 소프트웨어에 대한 기본 개념을 이해하고, 컴퓨터적 사고를 습득하여 문제 해결 능력을 배양해야 하는 것이 요구된다. 또한, 소프트웨어 개발의 기본 원리와 프로그래밍 언어의 기초를 익혀서 응용 소프트웨어를 개발할 수 있는 능력도 부수적으로 기른다면 더욱 현대 경영학의 이해와 학습에 도움이 될 것이다.

국가와 법

Country life & Law

국가와 법은 경영학에서 중요한 개념이다. 국가는 기업의 활동을 규제하고, 보호하는 역할을 하며, 법은 기업의 경영 활동을 안정적으로 유지하는 데 기여한다.

한편 국가가 기업의 활동을 규제하고, 보호하는 역할을 하는 것은 기업의 활동은 사회적으로 큰 영향을 미칠 수 있으므로, 국가는 기업의 활동을 규제하여 공공의 이익을 보호하고, 사회적 갈등을 예방한다. 또한, 국가는 기업의 활동을 보호하여 기업이 안정적으로 성장할 수 있도록 지원한다.

국가의 규제는 기업의 활동에 영향을 미치기 때문에, 경영학에서는 국가의 규제에 대한 이해가 중요하다. 기업은 국가의 규제를 준수하면서, 기업의 이익을 극대화할 방안을 모색해야 한다.

법은 기업의 경영 활동을 안정적으로 유지하는 데 이바지한다. 법은 기업의 거래 관계를 규정하고, 기업의 권리와 의무를 명확히 함으로써, 기업의 경영 활동을 예측할 수 있게 만든다.

또한, 법은 기업의 경쟁을 공정하게 유지하여, 기업의 발전을 촉진한다. 그러므로 기업은 법을 준수하면서, 기업의 경영 활동을 합법적이고 효율적으로 공정히 수행해야 한다.

국가와 법은 경영학에서 중요한 개념이다. 경영학에서는 국가의 규제와 법의 역할을 이해하고, 사회적 책임 경영, 지역 사회와의 협력, ESG 경영 등을 두루 살피면서 이를 기업의 경영 활동에 활용하는 것이 몹시 중요하다고 할 수 있다.

정치란 무엇인가

Readings in Political Science

정치는 한 사회의 공동체가 공동의 목표를 달성하기 위해 의사 결정을 하고, 이를 실행하는 과정이다. 정치는 사회의 모든 구성원이 참여하는 과정이지만, 특히 권력을 가진 자들이 주도하는 과정이다.

정치는 다양한 요소에 의해 영향을 받는다. 정치는 사회의 경제 상황, 문화, 역사, 종교 등 다양한 요소에 의해 영향을 받는다. 또한, 정치는 정치인들의 성향, 이념, 정책 등에 의해서도 영향을 받는다.

정치는 사회의 발전에 중요한 역할을 한다. 정치는 사회의 갈등을 해결하고, 사회의 안정을 유지하는 데 이바지한다. 또한, 정치는 사회의 발전을 위한 정책을 수립하고, 이를 실행함으로써 사회 발전을 촉진한다.

기업과 정치가 불가분의 관계인 것처럼 정치와 경영은 서로 밀접한 관계가 있다. 정치는 기업의 활동을 규제하고, 보호하는 역할을 한다. 또한, 정치는 기업의 경영 환경을 조성하는 데 영향을 미친다.

기업은 정치적 환경을 고려하여 경영 활동을 수행해야 할 필요성이 있으며 정치의 변화를 파악해야 성공적인 경영이 가능하다. 그러므로 '불가근불가원'의 태도를 유지하면서 정치의 관심을 기울일 필요가 있다.

제 2 부

경제학개론

Introduction to Economics

서론

Foreword

아시아지역학에서 경영학이 중요하듯이 경영학이 탄생하는 데 기여하고 상호 간의 학문적 교류와 연구 교환이 깊이 일어나는 경제학을 살펴볼 필요성이 있다.

경영학과 경제학은 모두 경제와 관련된 학문이지만, 그 연구 대상과 방법이 다르다. 경제학은 경제 전체를 대상으로 하여, 경제 원리와 법칙을 주로 연구하는 학문이다.

반면, 경영학은 기업 혹은 경제적 집단을 대상으

로 하여서 그 경영 활동을 집중적으로 깊게 연구하는 학문이다.

특히 경제학은 경영학의 분석 도구를 제공한다. 경제학에서는 다양한 분석 도구를 사용하여 경제 현상을 분석한다.

이러한 분석 도구는 경영학에서도 기업의 경영 활동을 분석하는 데 활용되므로 경제학을 이해한다면 경영학의 깊이 있는 이해가 가능하고 이는 다시 아시아 지역학의 뿌리 깊은 이해도 가능하게 한다.

시장조사론

Market Research

시장조사론과 그 관련 이론은 시장의 구조와 수급을 파악하기 위한 시장조사, 수요예측 등 자료수집 및 분석에 관련된 기법의 사용과 응용을 탐색한다.

이는 경영학적 마케팅에 있어서 그 의사 결정에 필요한 자료를 수집·분석하는 절차와 방법을 이해하여 이를 응용할 수 있는 것에 이바지하고자 그러하다.

시장조사에 있어서 구체적으로는 조사 및 분석의 범위와 적용, 과학적 조사 방법, 경영에 필요한 마케팅 도구의 실질적 적용, 판매 분석, 시장동향 및 소비자 조사, 광고조사 및 효과 측정, 판매할당, 그리고 조사보고서의 작성과 정책 수립에서의 이용 등을 연구한다.

아울러 사례를 통해 실제로 조사기법을 적용하면서 시장조사의 주요 개념, 기능 및 관리기법의 이해를 득하고 부수적으로 인터넷 마케팅 조사 능력을 배양할 수 있으므로 시장조사론은 아시아지역학에서의 조사 방식으로 많이 사용하기도 한다.

북한학

North-Korea studies

한국 사회가 저출산 고령화의 영향을 받아 경제 성장률과 잠재 성장률이 하락하는 상황에 놓였다. 그 상황 속에서 한국 사회는 새로운 성장 동력을 필연적으로 요구하고 있다.

이 가운데 통일대박론이 제시되면서 저성장의 늪에 빠진 한국 경제가 새로운 성장동력을 찾기 위해 통일을 주장하고 있으며 그 결과 북한에 대한 이해가 필요하다.

그러므로 북한은 단순한 아시아의 한 지역 혹은 국가로 그것이 이해되는 것이 아니라 한국 경제의 히든 카드로써 새로운 경제적 변수로 관찰하고 분석해야 하는 것이다.

북한의 경제는 현대 아시아에서 가장 사회주의 계획 경제 체제가 강한 국가로서 자본주의 경제학이 주류인 한국 사회에서 별도의 경제학적 지식이 없이는 오도하여 접근될 수밖에 없다.

그러므로 북한이라는 대상을 철저히 경제학적으로 봐야 하고 통일과 사회주의라는 두 키워드를 중심으로 해서 경제학적 접근이 학술적으로 필히 요구된다는 것을 알 수 있다.

자기경영학습법 I

Self-management Learning method I

경제학은 그 학문 특성상 스스로 하는 학습이 몹시 중요하며 특히 경영학적 입장에서 경제학 공부는 대부분 독학으로 이루어진다. 그러므로 자기경영학습법에 대한 이해가 있어야지만 경제학 학습을 더욱 수월하게 할 수 있다.

자기경영학습법은 자기관리와 학습법을 결합한 개념으로 자신의 꿈과 목표를 달성하기 위해 스스로의 삶을 관리하고 자기주도성을 강화하여 올바르게 학습하는 방법을 말한다.

자기경영학습법을 익히면 목표를 달성할 수 있는 가능성을 높일 수 있다. 자기경영학습법을 통해 자신의 꿈과 목표를 명확히 하고, 이를 달성하기 위한 구체적인 계획을 세울 수 있다. 또한, 계획을 실천하기 위한 동기부여를 강화하고 실천 과정에서 발생하는 어려움을 극복할 수 있는 능력을 키울 수 있다.

한편 학습 효율성도 높일 수 있다. 자기경영학습법을 통해 자신의 학습 스타일을 파악하고, 이에 맞는 학습 전략을 세울 수 있다. 또한, 학습 시간과 공부 방법을 효율적으로 관리할 수도 있다.

이처럼 자기경영학습법은 누구나 쉽게 실천할 수 있는 방법이다. 이를 잘 익히고 실천함으로써 자신의 학문적 성취와 꿈과 목표를 달성하고 더 나은 삶을 살아가기 위한 기반도 마련할 수 있을 것이다.

진로탐색

Career Exploration

　　진로탐색은 자기 적성과 흥미, 가치관 등을 바탕
으로 자신의 미래를 설계하는 과정을 말한다. 이러한
진로탐색은 경영학적 경제학에서 특정 진로에서의 경제
학 활용을 요구하므로 미리 탐색하여 방향을 설정해야
지만 효율적인 학습이 가능하다는 점에서 필연적으로
요구된다.

　　한편 일반론적인 의미에서 진로탐색은 자기 적성
과 흥미를 발견하는 데 도움이 되고 자신의 강점과 약
점, 관심 분야 등을 파악할 수 있으며 이를 바탕으로

자신에게 적합한 진로를 선택할 수 있다.

또한 진로탐색은 자신의 미래를 설계하는 데 도움이 되며 자신의 목표와 비전을 세울 수 있고 그 분석 결과를 바탕으로 자신의 미래를 위한 구체적인 계획을 세울 수 있다.

이외에도 진로탐색은 자기 삶의 만족도를 높이는 데 도움이 된다. 자신이 원하는 진로를 선택하고 이를 통해 성공을 거두면 주체적인 자신의 삶에 대한 만족도가 높아진다.

이러한 진로탐색은 청소년기부터 시작하여 평생에 걸쳐 이루어져야 하는 과정이다. 진로탐색을 통해 자기 적성과 흥미를 발견하고, 자신의 미래를 설계함으로써 자신의 삶을 더욱 주체적으로 살아갈 수 있으며 경제학 학습에도 큰 도움이 된다고 할 수 있다.

제 3 부

국제경영

International Business

서론

Foreword

아시아지역학은 기본적으로 특정 국가를 다루는 것이 아니라 아시아 전역에 대해서 경영학을 중심으로 하여 모든 학문적 도구를 사용하여 탐구하는 학문이다.

그렇기에 국제적 관점과 경영학적 관점이 모두 있어야 하므로 국제경영에 대해서는 그 특성상 몹시 중요하다고 할 수 있다.

한편 국제경영은 최근 세계 경제의 등장 및 다국적 기업화 등의 추세에 맞춰 가장 중요한 경영 분야로 떠오르고 있다. 이에 따라 선진국뿐만 아니라 개도국에서도 세계화 경영을 담당할 수 있는 경영자의 역할이 중요하다.

모든 경제집단은 세계무역기구 체제하에서의 시장 개방, 전 세계적인 경쟁적 패러다임 변화에 직면하고 있으며 이에 상응한 변신이 요구되고 있다.

이에 따라 21세기 글로벌 경쟁 시대에 대비하여 국제적 경영 환경 변화에 능동적으로 대응하는 동시에 효율적인 국제경영 전략을 수립하고 실행 절차를 탐구해야 하며 세계적 경영 시각을 필수적으로 인식해야 할 필요성도 제기된다.

무역학개론

Introduction to International Trade

　　무역학개론은 국가 간의 상거래 현상에서 발생하는 여러 가지 문제들을 연구하는 이론적이고 실천적인 학문이다. 무역학은 크게 국제무역학과 무역실무학으로 나눌 수 있다.

　　국제무역학은 국가 간의 무역이 발생하는 원인과 특성, 효과 등을 연구하는 학문이며, 무역실무학은 국제무역의 실제적인 거래 절차와 방법 등을 연구하는 학문이다.

위의 무역학을 개론에서는 개괄적이고 총체적인 내용을 소개하는 기초적 역할을 하며 무역학의 학문영역, 접근방법, 국제무역의 기초이론, 무역실무의 기초이론, 국제경영의 기초 분야 등 무역학 전반을 학습함으로써 무역학의 기초 지식을 배양하고 국제경영에 대한 이해도를 높이는 것에도 도움이 된다.

　　한편 이를 통해서 무역의 기본 개념과 원리도 이해하고 국제무역의 현황과 문제점을 분석함으로써 무역과 관련된 다양한 분야에서 활약할 수 있는 인재로 성장할 수도 있을 것으로도 볼 수 있다.

국토와환경

Territory and Environment

아시아는 세계에서 가장 다양한 자연환경과 다양성을 가지고 있으며 그 근원은 개별 국가의 국토와 문화에서 기인한다.

이러한 아시아의 국토와 환경은 삶의 터전으로 생활국토, 국가 및 지역경쟁력의 원천으로서 자원국토, 그리고 미래세대에 물려줄 유증 가치로서 환경국토를 포함한 모든 개념에서 우수하다고 할 수 있다.

최근 대두되고 있는 '지속 가능한 발전'은 현세대

의 필요와 미래세대의 수요를 함께 충족시키려는 통합적·균형적·생태적 개념이기에 다양한 각도에서 논의가 되고 있다.

따라서 국토와 환경의 통합적·균형적·생태적 발전에 대한 체계적이고 종합적인 연구에 중점을 두어 살펴보아야 한다. 또한 국토와 환경에 대한 현상적인 문제뿐만 아니라, 이에 대한 처방까지 포괄적으로 다루어 볼 필요가 있다.

이처럼 국토와 그 환경에 대해서 살펴보고 연구하는 것은 다양한 환경을 살펴서 경영에 큰 도움을 줄 수 있으며 기본적으로 경영에 대해 살펴보고자 한다면 또한 어떠한 국가에 진출하고 시장에 진입하고자 한다면 반드시 해야 하며 이렇나 부분을 폭넓게 살펴봐야 하는 것이다.

식생활과문화

Food and Culture

인류의 삶과 그 발전은 식생활 문화를 바탕으로 형성되며 지구상의 민족 집단은 생활환경을 배경으로 유사한 음식물을 공유하면서 살아가고 있으므로 식생활은 무엇보다 중요하다.

특히 의식주 중에서 한국이 유일하게 서방의 것이 주류가 되지 못한 것이 식생활이므로 그것이 가장 개별 민족의 특성을 드러내고 있음을 알 수 있다.

또한 아시아는 세계에서 가장 다양한 식생활 문

화를 가지고 있으므로 식생활과 문화의 중요성을 이해하기 위하여 식생활 문화의 형성 요인 및 발전 과정에 대해 알아보고 아시아의 전통적 식생활 문화의 특성을 비롯해 기본적이고 올바른 식생활 문화를 위한 통과의례와 식생활, 식생활 문화의 개념과 형성 요인 및 발전 단계, 역사적인 체험 및 문화유산 등을 깊게 살펴보아야 한다.

이러한 식생활 문화는 개별 민족의 접근을 넘어 하나의 문화적 코드이므로 경영에 있어 문화적 이해에 필수적인 것으로 알 수 있다.

그러므로 식생활과 그 문화를 경영학적으로도 반드시 이해해야 아시아의 시장적 접근이 가능하다는 것도 명심해야 한다.

헌법 I

The Constitutional Law I

아시아를 비롯하여 세계적으로 근대 국가가 형성 되면서 국가의 최고법규범으로써 헌법의 지위는 그 내용과 실질적 기능에 상관없이 어느 국가이던 굳건히 형성되었다.

이러한 헌법은 개별 국가에 접근하기 위해 필수적으로 이해해야 하며 그 헌법학적 개념들을 명확히 이해하기 위해 아시아 국가의 헌법적 기원과 발전의 역사적 맥락을 살펴보고 그 사상적 기초와 기본원리를 터득할 필요가 있다.

또한 헌법의 가장 규범적 규율로 기본권에 대한 포괄적인 이해도 필수적으로 수반해야 한다. 그리고 하위 법률의 일반이론과 더불어 이를 적용한 각국의 판례들을 함께 살펴봄으로써 아시아 경영에서 어떻게 헌법이라는 규범이 실천적으로 구현되고 있는지 중요하게 고찰해야 한다.

이를 바탕으로 전체적인 아시아 국가 질서를 규율하는 헌법이 어떻게 운용되는지 방향성을 인식함으로써 구체적인 헌법의 총체를 경영학적 관점으로 적용하여 다룰 수 있는 분석 능력과 추론 능력을 배양하고 현실적 문제에 대해서 구체적 해결책을 도출하고 제시할 수 있는 구체적인 학술적 능력을 제고하는 것도 깊게 인식해야 한다.

채플 I

Chapel I

채플은 기독교에서 예배를 드리는 공간을 지칭하는 영어단어로 일반적으로는 종교재단의 학교에서 정기적으로 이루어지는 예배나 종교 수업을 의미한다.

그런데 이 책에서 기독교라는 직접적이고 종교적인 단어를 쓰지 않은 것은 우리는 경영학적 관점에서 기독교를 살펴보아야 하기 때문이다.

세계적으로 가장 많은 종교도 기독교이고 아시아에서도 그 교인의 숫자가 상당하며 기독교를 믿지 않더

라도 아시아 전역에 미치는 영향력이나 관습은 상당하다. 고로 아시아에서 문화적으로 가장 많은 영향을 주는 종교는 기독교이다.

경영학적으로 기독교를 살펴보면 그 교리에 관심을 가지는 것이 아니라 기독교의 성경의 경영학적 측면을 살펴보고 그 영향을 보아야 하는 것이다.

특히 성경에는 어느 경제학 교과서보다 더 많은 지혜가 있으므로 성경적으로 경영해서 크게 성공한 기업이 많다는 사실도 그러하다.

그러므로 성경의 경영학적 지혜를 살펴보고 아시아에서 기독교가 미치는 영향을 경영학적으로 살펴본다면 아시아지역학의 연구와 학습에도 도움이 될 것이다.

서양고중세철학사

History of Ancient-Medieval Western Philosophy

모든 학문의 뿌리는 철학이며 철학이 그 뿌리이
지 않은 학문은 없다. 다만 경영학과 같은 응용학문은
다소 거리가 있어 이를 잘 인식하지 못한다. 그러나 경
영학은 의외로 철학과 깊은 관계가 있으며 철학의 발전
이 경영학에 미치는 영향이 크다.

그러므로 철학에 대한 이해는 경영학에 있어 필
수적이며 당연히 아시아지역학에 있어서도 필연적이다.
특히 현대 철학은 그 근원이 서양 철학이므로 그 출발
점인 고대 그리스와 로마 철학에서 중세 시기 철학에

이르기까지 기본적인 서양 철학 발전의 흐름을 개괄하고, 서양 철학 개념과 이론의 발전 맥락을 경영학적으로 이해할 필요가 있다.

또한 서양 고대철학 시기에 자연철학자들을 거쳐 소피스트, 소크라테스, 플라톤, 아리스토텔레스 등의 철학자를 통해 서양 철학의 주요한 철학 개념들과 이론들이 자리 잡았다. 이러한 이론적 토대를 통해 서양 중세 시기에는 신학의 입장에서 이전의 철학적 입장들을 총괄했다.

따라서 중세 철학의 대표적 학자인 아우구스티누스와 토마스 아퀴나스의 논의를 통해 중세 철학의 기본적 철학 개념들과 이론의 발전 맥락을 살펴보아서 이를 통해 서양 철학의 이론적 발전 상황을 파악함으로써 후대 철학에 미친 역사적 영향을 평가하는 기준도 확립해야 중립적인 자세에서 철학을 긍정적으로 경영학과 아시아지역학에 활용할 수 있는 것이다.

정치학개론

Introduction to Political Science

현대 시대가 도래하면서 정치는 개별 위정자의 소유가 아니라 모든 민주 시민의 소유로 경영학을 이해하고 학습하는 민주 시민으로서의 정치학은 단순한 기본소양을 넘어 중요한 학문이고 경영학에도 깊은 영향을 주고 있으므로 정치학 전반에 대한 이해를 도모함과 동시에 올바른 학술적 의식을 함양하도록 해야 한다.

이를 위해서는 경영학적 입장에 의해서 기본적인 정치학 핵심 개념과 국가, 정치체제, 정치이념, 정치문화, 정치사회화, 정치과정 등을 살펴보고 법질서 이념인

법치주의의 바탕으로 정당과 의회, 관료제와 공공정책 등을 고찰하며 더 나아가 국제정치, 남북 관계 등에 대한 기본적 지식과 이해를 함양해야 한다.

이를 바탕으로 기본적인 정치학 개념을 이해하고 현대 사회의 정치 현상을 분석함으로써 민주시민으로서의 올바른 정치의식과 자질 함양을 기대할 수 있고 경영학의 이해를 높이며 현실 정치의 탐색에도 도움을 주어 아시아지역학의 개별적 국가에 대한 깊은 이해에도 도움이 될 수 있다고 할 수 있다.

지방행정론

Local Administration

지방행정론은 지방행정에 관한 학문으로, 지방행정의 기본 개념, 구조, 기능, 운영 등에 대해 연구하는 학문이다. 지방행정은 국가의 행정권을 지방에 분산하여 행사하는 것을 말한다. 지방행정론은 지방행정의 발전을 위한 이론적 토대를 제공하고, 지방행정의 효율성과 효과성을 높이려는 방안을 제시하는 데 이바지한다.

지방행정론은 크게 두 가지 관점에서 연구될 수 있다. 첫 번째는 지방자치의 관점에서 연구하는 것이다. 지방자치는 주민이 주권을 행사하는 방식으로, 지방행정은 지방자치의 구현을 위한 수단으로 볼 수 있다. 따라서 지방행정론은 지방자치의 의미, 가치, 원리, 제도 등에 대해 연구한다.

두 번째는 지방행정의 관점에서 연구하는 것이다. 지방행정은 국가의 행정권을 지방에 분산하여 행사하는 것이다. 따라서 지방행정론은 지방행정의 조직, 기능, 운영 등에 대해 연구한다. 지방행정의 조직은 지방자치단체, 지방의회, 지방의회 의장, 지방자치단체장 등으로 구성된다. 지방행정의 기능은 주민의 복리 증진, 지역사회의 발전, 국가의 발전에 이바지하는 것으로 구분된다. 지방행정의 운영은 지방자치단체의 예산, 인사, 조직, 정책 수립 및 집행 등에 관한 것이다.

이러한 지방행정론은 아시아지역학에서 특히 중요하다. 아시아지역학이 아시아 경영에 대해 다루므로 아시아는 그 다양성이 있으므로 개별 지방에 대한 자치성이 높아 그 지역에 대한 이해가 필요하므로 지방행정론을 통해 이를 고찰하는 데 도움이 된다고 할 수 있다.

인도개관

Introduction of India

 인도는 21세기의 떠오르는 국가 중 하나로 아시아에서 그 영향력은 고대부터 상당했으나 현대에 이르러 경제적 성장과 규모로 그 존재감을 급격하게 확대하고 있다.

 또한 문화적 다양성과 인류학적 가치도 작지 않으므로 여러 부문에서 깊은 학술적 연구와 학습이 급격하게 요구되고 있다.

 인도의 정치, 경제, 사회, 문화, 지리 등 제반 측

면의 기본적 이해하며 인도의 중요성을 포함한 국제적 위상을 살펴보면 아시아지역학에 있어 새로운 길이나 색다른 부문도 살펴볼 수 있을 것을 전망된다.

그러므로 인도의 기본적 특성과 기본적 형태에 대해 깊이 있는 학습과 탐구를 해야 하며 아시아에서의 그 역할도 한 번 상기할 필요가 있다.

인도인은누구인가?

The Thought Way of Indian People

　해당 국가를 이해하기 위해서는 그 나라의 사람을 이해하는 것이 기본이다. 그러므로 인도를 이해하려면 제일 먼저 인도인에 대해 이해해야 인도에 대한 이해를 시작할 수 있으며 아시아지역학과 경영학적으로 인도를 바라볼 수 있다.

　인도인은 세계 인구의 약 17%를 차지하며 남아시아의 인도와 그 주변 국가들에 거주하고 있다. 종교적으로는 힌두교, 이슬람교, 기독교, 불교, 시크교, 자이나교를 주로 믿으며 언어로는 힌디어를 주로 쓰고 남부에서는 타밀어, 텔루구어, 말라얄람어, 칸나다어 등을 사용하기도 한다.

사회적 기준에서 카스트 제도의 영향을 받아 다양한 계층으로 나뉜다. 카스트 제도는 인도의 전통적인 신분 제도로 인간을 고귀한 브라만, 전사인 크샤트리아, 상인인 바이샤, 하층민인 수드라, 천민인 아웃 카스트로 구분한다. 오늘날 인도에서는 헌법상 인정되지 않아 카스트 제도의 영향력이 약화하였지만, 여전히 인도 사회에 큰 영향을 미치고 있다.

인도인은 다양한 언어, 종교, 문화를 가진 민족으로, 인도 사회의 다양성을 대표하는 존재이다. 인도인은 아시아에서 중요한 역할을 하고 있으며, 앞으로도 아시아의 발전과 세계화의 주역으로 활약할 것으로 기대되며, 더욱 유심히 살펴보아야 한다.

처음 만나는 인도

An Introduction to India

`

　인도를 살펴보고자 한다면 먼저 우리가 가진 편견을 버리고 중립적인 자세로 살펴보아야 한다. 그렇기에 우리는 앞에 일부로 부정관사 'a'를 붙였다.

　인도에 대해 가진 편견을 열거하면 대부분 더럽고 부정적인 것이다. 그것에 천착되어 사로잡힌다면 우리는 경영학적으로 인도에 대해 조금도 살펴보지 못하고 편견의 늪에만 허우적거려서 그것이 인도인지 아니면 아메리카 대륙인지 몰랐던 콜럼버스와 같게 된다.

부정관사는 대상이 특정되지 않아 이야기를 듣는 사람이 무엇인지 모르는 대상이기에 우리는 인도를 부정관사를 붙여서 바라봐야 한다.

무지의 장막을 두고 인도의 본 모습을 거리낌 없이 살펴본다면 국제경영에서 인도가 가지는 참 위상과 귀중함을 얻을 수 있을 것이다.

인도비즈니스입문

Introduction to India Business

경영학적 관점에서 인도를 살펴보면 우리가 가장 중히 생각하는 것은 인도 비즈니스이다. 그러므로 우리는 인도의 경제행위 및 문화, 법규제 등을 기반으로 인도인들의 경제 의식 및 비즈니스 행위와 형태 그리고 인도기업의 현지 경영 전략 및 관리, 해외시장 진출 전략, 생산, 구매, 노무 등을 학습하여 인도기업의 경영을 이해할 필요성이 요구된다.

또한 인도는 전통적으로 상업이 발달했으므로 인도인의 특성상 그들의 경영적 활동을 살펴보며 그들의 생각과 행동을 볼 필요도 있다.

인도인은 눈치가 몹시 빠르며 비즈니스에서도 상대방의 언어를 이해하지 못해도 그들의 행동을 통해 대략적으로 짐작하는 뛰어난 면모를 보인다.

한편 인도 상인들은 긍정적으로 이야기해도 그것이 꼭 긍정적으로 의미하지 않을 정도로 비즈니스 언어가 급격히 발전했으므로 발언에 대해 액면 그대로 받아들이지 말아야 한다는 점도 필히 살펴야 한다.

기숙대학생을 위한 온라인 세계시민교육

World Citizenship Education for College Students Living in Dormitory

오늘날의 세계는 상품, 사람, 서비스 등이 자유롭게 이동하는 초국적 사회로 급속히 변화하고 있다. 이러한 추세는 21세기가 되면서 국제화라는 이름으로 전지구적으로 확산하면서 다양한 형태의 초국적 삶의 방식도 등장했다.

그러나 이러한 초국적 사회는 이주자에 대한 혐오와 편견 그리고 문화적 갈등이 확산하면서 새로운 삶의 방식에 대한 여러 문제가 증가하고 있다.

특히 가장 우리 사회에서 다문화적 사회를 한눈에 볼 수 있고 작은 지구촌으로 불리는 곳이 대학의 기숙사이다. 이는 외국인 유학생의 증가로 대학 기숙사만 들어가도 다양한 국적의 사람들을 만날 수 있다.

그러므로 기숙사생을 대상으로 한 세계화 교육이 가장 활성화되어 있지만 부족한 부문이 많다. 고로 '기숙대학생을 위한 온라인 세계시민교육'이라는 제목의 명칭에서 보듯 작은 지구촌인 대학 기숙사생을 위해서 세계시민교육을 온라인으로 체계적으로 쉽게 실시할 필요가 있다.

이를 통해서 대학 기숙사가 작은 지구촌 실험이 되고 사회적 공존을 관찰하면서 아시아지역학의 가장 큰 의의인 아시아의 고유성과 하나의 공존성을 찾고 국제적 감수성과 포용성을 얻어 새로운 비전을 찾을 수 있을 것이다.

제 4 부

마케팅원론

Principles of Marketing

서론

Foreword

마케팅은 기본적으로 특정 대상에 대해서 홍보하여 대중의 관심을 끌어올리는 하나의 수단이자 기법이다. 이러한 마케팅은 단순한 기술을 넘어 하나의 의미있는 경영학적 현상으로 파악되고 있다.

아시아지역학에서도 마케팅을 통해 개별 아시아가 새로운 시장을 원하는 사람들에게 각자의 상황에 맞는 이익과 경제적 편익을 줄 수 있음을 강조하여 많은 투자를 받는 것에서 시작하여 현재의 고유 가치나 문화에 대해서 알리는 영역까지 확대되고 있다.

그러므로 마케팅의 기본 원리와 주요 개념을 이해하고 다양한 사례를 통해 마케팅의 고유한 특성과 시사점 그리고 소비자 지향적인 마케팅 활동을 구체적으로 파악해야 한다.

이렇게 한다면 경쟁 사회 속 전략적 사고를 배양하고 현재의 아시아 환경을 분석하고 전략 및 계획을 수립할 수 있는 능력을 갖추게 되며 아시아를 더욱 깊게 이해하는 것에도 큰 도움이 된다.

광고학

Theory of Advertising

광고는 대중을 대상으로 한 특정한 알림으로 타 켓층의 차이는 있으나 어찌 되었든 불특정 다수를 대상으로 구체적인 의미 전달을 하고자 하는 특징이 있다. 이는 커뮤니케이션에서 가장 다수에게 일방적으로 하는 사례이다.

이러한 점에서 광고는 효율적으로 잘 만든다면 짧은 시간에 다수에게 효과적으로 의미를 전달하고 각인할 수 있다는 점에서 상당한 마케팅 기법과 심도 있는 기술이라고 할 수 있다.

특히 아시아는 세계적으로 후발 국가가 많아 인지도가 부족하므로 광고에 대한 깊은 이해와 사용을 절실히 필요로 하며 이미 일부 국가는 국가 브랜드 광고를 만들어서 전파하고 있다.

이런 측면에서 아시아 광고 산업의 현황을 비교 및 고찰하며 관련 이론적, 실무적 지식을 두루 섭력하고 광고와 관련된 주체들도 파악할 필요성이 제기된다.

소자본창업경영

Opening & Management of Small Market

　　아시아 대부분 국가에서 경제의 다수 비율을 차
지하는 것은 소규모 자영업자이다. 이러한 자영업은 경
제의 뿌리가 되면서 사회의 많은 영향을 미친다. 이들
에 대해 경영학적으로 이해하고 특유의 선전 기법을 호
객이라고 단정 지을 것이 아니라 문화적 방식의 하나로
이해해야 할 필요가 있다.

　　아시아지역학에서 아시아는 단순한 인식의 대상이
아니라 능동적인 주체이므로 사회의 큰 비율을 차지하
는 이러한 계층에 대해 이해하지 못하고 단편적으로 넘

어간다면 학문의 존재 의의를 훼손하는 것과 같다.

그러므로 소규모 창업 및 경영에서 반드시 알아야 할 실무 전반과 경영 전략을 알아보며 관련된 정치적, 경제적 여건도 파악하고 국가별 개별 법률도 이해해야 한다.

이외에도 프랜차이드와 같은 국가별 특유한 점과 고용 관계 및 고객 서비스에서 외부 환경이 미치는 영향을 본다면 사회의 큰 영향을 주는 소규모 자영업자 계층을 이해하고 이를 아시아 전반의 경영학적 이해로 폭 넓힐 수 있을 것이다.

관광마케팅

Tourism Marketing

아시아 관광 산업이 성장하면서 각국은 관광 산업 발전에 무수한 자금을 투자하고 있다. 이는 아시아에 대한 서방의 편견을 거두고 새로운 관심을 일으켜서 아시아 관광의 붐을 발생시키는 것의 연장이기도 하다.

아시아의 관광은 그 특유한 가치와 사회적 질서 속에서 꽃피운 문화적 자산을 보여준다. 그러나 그 자산이 아무리 훌륭해도 대중이 알지 못하면 실질적 관광으로 이어질 수 없다.

이에 따라 아시아 지역은 관광마케팅이라는 새로운 개념을 접목하여 관광을 유도하기 위해 노력하고 있다. 이는 아시아 전역의 현재적 관심사이다. 이에 따라 관련된 관광마케팅의 중요성이 크게 부각되고 있는 현 시점에서 관광 상품의 특성을 적용한 서비스 측면의 새로운 마케팅 개념을 살필 필요가 있다.

특히 관광 산업의 고객 지향적 경영을 위한 관광마케팅 기초 이론, 시대 변화에 따른 관광 상품에 대한 고객의 다양한 욕구와 추구하는 편익을 파악하기 위한 마케팅 전략 수립에 대해서도 살핀다면 아시아 관광 시장과 관련된 것에 대해서 잘 이해할 수 있을 것이다.

제 5 부

인적자원관리

Human Resource Management

서론

Foreword

아시아에는 많은 자원이 있지만 그중에서도 가장 중요하고 역사적으로 많은 영향을 세계에 준 자원은 인적 자원이다. 이러한 자원을 경영학적 관점에서 이해해야지만 아시아지역학 학습과 연구에 큰 도움이 된다.

그러므로 인적 자원의 확보, 개발, 보상, 유지, 방출에 대한 이론과 실제를 습득하여 문제 해결 능력을 키우고 경제적 공동체의 경쟁력에 큰 영향을 미치는 인적 자원 관리의 활동 동향과 최근 이론을 살펴볼 필요가 있다.

인적 자원 관리는 크게 채용, 보상, 평가, 교육 훈련, 경력 관리, 이동 및 이직 관리 등으로 나눌 수 있으며 각각의 영역을 효과적으로 관리하는 방법과 원칙, 적용 사례는 다양하여 이를 모두 살펴보아야 한다.

아시아의 경제 환경의 변화와 인적 자원 관리의 연계성, 효과적인 인적 자원 관리의 전략, 모집 선발, 인력 계획, 인력 보상, 인력 평가, 경력 개발 등 인적 자원 관리 영역에 관한 이론을 학습하고 응용 능력을 기르면 관련 연구가 한층 수월해질 것이다.

인간관계론

Human Relations

    사회에서 타인과 함께 살아가기 위한 인간관계의 필요성과 중요성은 사회적 존재인 인간에게 몹시 중요하다. 이는 아시아지역학을 연구하는 것에도 그러하다.

    아시아라는 사회 공동체의 가장 미시적인 사회적 관계를 이해하고자 한다면 그 이론과 기술을 습득하여 아시아의 행복하고 성숙한 인간관계들을 먼저 이해해야 할 필요성이 있다.

    나아가 인간관계의 개념과 본질을 이해하고, 인간

관계를 증진시키는 데 필요한 이론 및 관련 기술을 습득하며 의사소통과 심리분석 이론을 바탕으로 한 개인 및 집단의 인간관계기술을 이해하는 것으로 확장할 필요성이 있다.

또한 아시아 특유의 의사소통 방식과 기법을 습득하고 아시아인과 인간관계를 맺을 때 갖춰야 할 자세 및 태도를 이해할 수 있으며 관련한 인지, 정서, 행동발달 관련 제 이론을 습득해 건전하고 효과적으로 인간관계를 형성한 아시아의 여러 사회 구성체를 살펴보는 것으로 나아갈 수도 있다.

리더십

Leadership

인간은 강력한 존재가 이끌어주기를 바란다는 말처럼 리더십은 모든 공동체의 구성에 필연적이다. 이러한 법칙에서 아시아도 예외가 아니다. 아시아의 리더십을 이해한다면 지배층의 형성과 담론에 대해서도 이해할 수 있다.

한편 리더십은 조직목표 달성을 위해 모든 조직의 리더가 갖춰야 할 핵심역량 요소이므로 그 실체 및 본질을 이해하고 지식정보화사회에 부합하는 혁신적 리더십 개발을 위한 방법론을 연구하는 데 그 목적이 두어야 한다.

따라서 리더십의 실체 및 본질을 이해하고 리더십 개발 방법론 연구를 통해 리더십 역량을 함양하고 변혁적 리더십과 팀 리더십에 대해 배운다. 또한 리더십 개발과 관련한 리더십 기술 개발의 중요성, 리더에게 요구되는 리더십 기술, 리더십 변화과정도 두루 살펴야 한다.

아울러 이론과 더불어 국내외 사례분석 및 토의를 통한 리더십에 대한 전문적 지식 및 기법을 체득하여 아시아의 시대가 요구하는 잠재력을 개발, 진정한 리더로 성장할 수 있는 능력과 그 요소도 살펴서 아시아 특유의 리더십을 이해해야 한다.

인간학

Study on Human

우리 모두가 인간인 것처럼 아시아라는 것도 인간이 만든 개념이다. 고로 아시아인을 이해하는 것이 아시아지역학의 근원이기에 '인간이란 무엇인가'라는 질문에 총체적이고 다각적 해답을 제시하는 인간학에 대해 깊은 고찰이 필요하다.

인간의 생물학적 조건을 비롯한 인간의 내면적 정신세계와 행동양식 및 인간의 공동체를 연구하는 인간학을 학습하여 인간에 대한 탐구의 출발점으로 인간의 기원에 대한 다양한 관점을 편견 없이 두루 바라보아야 한다.

　　이외에 인체의 신비와 더불어 인간의 의식의 발달, 내면 의식을 통해 근대 이후 인간 자신에 대한 자각을 통해 생명의 존엄성, 자유와 성숙의 문제에 고민한 흔적을 아시아의 사례를 가지고 바라 보아야 한다.

　　개인과 공동체의 관계를 보면서 더 나아가 인간과 자연의 문제를 고찰하고 올바른 이해를 바탕으로 인간 존엄성과 아시아인을 바라볼 필요가 요구된다.

인사행정론

Personnel Administration

아시아 국가들이 서구로부터 독립하면서 개별적인 정부가 수립되고 각자 특유한 행정을 하면서 그 차이가 심화하고 있다. 특히 인사가 만사라는 말처럼 인사행정은 그 중요성이 가장 상위에 있으며 그것을 알아야지만 아시아 국가들의 행정과 인적자원관리 전반을 알 수 있어 아시아 경영에도 도움이 된다.

아시아 정부들의 인적 자원 확보 및 개발, 관리, 통제 등 효율적인 인적자원관리를 통해 정부 조직의 정책 결정 및 집행 능력을 향상하고 양질의 행정서비스를 제공할 수 있도록 하는 방안을 모색할 필요도 있다.

또한 이를 위해 인사행정론의 이론체계와 발전 과정을 학습하고 인사행정의 전개 과정을 통하여 인사 행정의 원리, 인사기관, 공직의 분류, 직무분석과 평가, 모집, 채용, 교육 훈련, 근무성적평정, 보수제도, 승진 전보, 인간관계, 사기, 복무규율 등을 다루어야 한다.

그리고 아시아 개별 국가 정부의 인적 자원을 효 율적으로 활용할 수 있게 되고 인사행정을 통해 인적자 원관리 전반에 대한 기본적 이해력을 높이고 각종 인사 문제를 해결할 수 있으며 경영학적 관점에서 인사 전반 을 바라보는 지혜도 얻을 수 있을 것이다.

제 6 부

회계원리

Principles of Accounting

서론

Foreword

모든 집단에서 재무가 가장 중요하고 그 재무를 올바르게 운용하려면 회계가 매우 중요하다. 그러한 회계는 아시아의 전반을 이해하고 특히 경영학적 관점에서 살펴보기 위해서는 반드시 알아야 한다.

고로 회계학의 가장 기본이 되는 원리를 이해하고 습득해야 하며 이를 통해 결산재무제표를 작성할 수 있고 재무회계 기초개념과 자산, 부채, 자본, 수익, 비용 주요 계정 과목별 의미와 계산 방법을 터득해야 한다.

이러한 회계원리를 통해 대차대조표, 손익계산서, 현금흐름표, 자본변동표 등의 재무제표에 대한 전반적인 이해와 계정과목별 의미, 계산 방법을 습득하고 있어야 한다.

회계는 경영학에서 그 수단으로 중요하며 아시아 국가나 기업 혹은 개인에게도 중요하므로 반드시 익혀야 할 학문적 기술의 하나라고 볼 수 있는 것이다.

원가관리회계 I

Cost Managerial Accounting I

모든 경영에서는 끊임없는 의사결정의 연속이므로 내부관리자는 다양한 형태의 정보가 있어야 한다. 또한, 정보를 이용하는 이용자의 유형도 매우 다양하므로 이에 필요한 정보를 창출하고 기업의 경영관리에 필요한 관리기법을 습득하여 경영활동에 적극적으로 활용할 수 있어야 한다.

그러므로 원가의 기초 지식을 토대로 원가행태 즉, 고정비와 변동비 구분을 이해하고 이를 바탕으로 기본 원리를 체계적으로 습득하여 알아야 한다.

아울러 여러 유형의 사례를 반복하여 살펴서 관리회계의 기업에서의 중요성, 관리회계 활용기법의 터득, 문제점의 대응 방법과 실제 기업에서의 사용 방법 실례를 알아야 한다.

이는 아시아 경영의 회계에 이러한 것들이 몹시 중요하게 작용하므로 이를 깊이 있게 살펴야지만 아시아 경영에 대해 수준 높은 이해가 가능하기 때문이다.

중급재무회계 I

Intermediate Financial Accounting I

모든 경제 공동체는 결산 시 계정과목별 금액을 산정하여 재무제표를 작성하므로 회계를 알고자 하면 이를 반드시 할 수 있어야 한다.

또한 아시아 상황의 맞는 특수한 성격의 회계 문제를 파악하고 이를 해결하기 위한 실제 적용 기법과 관련 이론에 대해서고 심도 있게 파악해야 한다.

또한 아시아의 회계 기준과 국제 회계 기준을 비교 분석하면서 아시아의 특유한 회계와 관련 문화에 대한 이해도 반드시 필요로 한다.

이를 통해서 아시아 경영 실무에서 회계 관련 문제에 대해 합리적 대안을 제시할 수 있고 회계정보에 대한 이해를 제고하여 회계정보를 이용한 합리적인 의사결정도 숙고할 수 있다.

제 7 부

서비스경영

Service management

서론

Foreword

서비스 경영은 서비스 제공자가 고객의 요구를 충족시키고 고객의 만족을 높이기 위해 수행하는 활동 전반을 의미한다. 특히 아시아가 경영학의 중심으로 들어오고 아시아지역학이 탄생하면서 아시아를 고객으로 바라볼 때 반드시 익혀야 할 뿐만 아니라 학술 전반에서 아주 효과적으로 살펴볼 수 있는 명제이다. 이러한 서비스 관리는 크게 전략적 서비스 관리와 운영적 서비스 관리로 나눌 수 있다.

전략적 서비스 관리는 서비스 제공자가 장기적인

관점에서 서비스 비즈니스를 성공적으로 운영하기 위해 수행하는 활동이다. 여기에는 서비스 전략 수립, 서비스 품질 관리, 서비스 혁신 등이 포함된다.

운영적 서비스 관리는 서비스 제공자가 일상적으로 서비스 제공을 수행하기 위해 수행하는 활동이다. 여기에는 서비스 제공 프로세스 관리, 서비스 인프라 관리, 서비스 문제 관리 등이 포함된다.

서비스 관리는 아시아의 다양한 분야에서 중요시되고 있다. 특히, 외부의 서비스 제공자가 아시아 고객의 요구를 충족시키며 고객의 만족을 높이기 위해 필연적으로 요구되는 시대이기에 깊게 살필 필요가 있다.

보건의료법규

Health & Medical Law

서비스경영은 기본적으로 고객의 필요성에 대해 응하는 것이다. 아시아의 경우 모든 산업 중에서 의료 산업이 성장하고 있다. 의료 산업은 그 특성상 진입하려는 이는 적고 수요가 상당하여 많은 수익이 나는 산업이다.

아시아 경영에서 의료 산업은 중요한 경제적 이슈이므로 이를 살펴야 한다. 그러나 의료 산업은 그 특성상 관련 법규에 대해 이해해야지만 접근하여 깊게 관찰할 수 있는 독특한 특징이 있다.

그러므로 보건의료법규에 대한 학습이 필요하다. 보건의료법규는 의료 관련 각종 자격과 기준, 의료시설과 기사 관련, 업무 관련, 기록, 보험 등 의료 전반에 걸친 원리와 원칙을 말하므로 이를 모두 살펴야 한다.

또한 이를 바탕으로 법 적용 사례 및 법적 문제에 적절히 대처하기 위한 기본소양과 의료 관련 법규의 국가별 현황을 파악하여 관련 이해도 높일 수 있다.

한의학개론

Introduction to Oriental Medicine

한의학인 아시아를 비롯한 세계 의료시장에서 새롭게 뜨는 의학 기법이다. 특히 아시아의 고유한 학술을 담았다는 점에서 의학에서의 아시아 특수성을 규명할 수 있는 하나의 좋은 사례이다.

이러한 한의학의 전반적인 체계와 원리를 이해하고, 음양 및 오행에 입각한 한의학 고유의 진단법과 치료법 등의 개론을 살펴볼 필요가 있다.

또한 이를 깊게 이해하기 위해 한의학의 개요, 음

양오행학설, 정신기혈론, 경락학설, 장부학설, 질병과 병인, 사진(四診)을 학습하며 나아가 한의학이 비과학적이라는 편견과 오해를 덜고 인체와 질병에 대한 한의학적 관점의 배양과 한의학에 대한 전반적인 체계와 원리도 살펴야 한다.

한의학을 개론적 측면에서 살펴본다면 아시아 경영에서의 서비스경영이 차지하는 부문에서 의료 산업의 구체적 사례와 한의학이 가지는 아시아지역학적 학문 특수성도 두루 볼 수 있다.

국사

Korean History

아시아지역학과 관련 서비스경영에 대해서 이해하려면 먼저 자국의 역사와 그 속의 근원을 파악해야지만 실질적 한국의 서비스경영 사례를 관찰할 수 있다.

그러한 점에서 국사를 학습할 필요가 깊이 요구되나 이는 철저히 경영학적 관점에서 살펴보아야지 과도하게 역사적 관점에서 살피면 여러 학술적 애로 사항이 필연적으로 생긴다.

고로 서비스경영을 하나에 두고 경영학적 이해를

통해 국사에서 관련 사례를 찾고 한국이 특유한 서비스 경영을 내놓을 수 있는 역사적 근원을 모색해야 한다.

이렇게 하여 한국의 서비스경영 사례를 통해 아시아 각국의 서비스경영 사례와 비교 및 분석하여 관련 특유성을 규명할 수도 있을 것이다.

국민윤리

National Ethics

국민윤리는 한 국가의 고유한 가치이자 철학으로 이를 이해하면 국가의 정신적 총체를 파악할 수 있으므로 아시아 경영을 알고자 하면 반드시 알아야 한다.

또한 이러한 국민윤리를 통해 개별 아시아 국가의 서비스 경영 양식과 방향에 대해서도 깊은 이해와 습득을 할 수 있다.

그러므로 국민윤리를 학습하고자 하면 현대 및 전통사회의 가치관에 대한 이해를 바탕으로 개개인의 가치관과 윤리 의식을 확립하고 사회구성원으로서의 책임감을 습득하며 현실 상황을 도덕적, 윤리적 상황으로 이해하고 올바른 윤리 의식을 함양하는 동시에 현대사회에 필요한 윤리와 도덕성을 정립하는 방안도 모색해야 한다.

또한 아시아 전통사상 가운데 가치 있는 이론들을 모색하고 우리의 다양한 삶의 방식에 대해 이해하여 아시아의 정신적 가치에 대한 올바른 이해를 통해서 아시아 서비스경영의 정신적 차원까지 살펴보는 하나의 좋은 밑거름이 될 수 있다.

제 8 부

경제경영이해력

Economic & Strategic business Sense and Thinking

서론

Foreword

아시아를 경영학적 관점에서 접근하려면 필수 기초 경제경영 지식을 얼마나 응용할 수 있고, 그런 응용력을 바탕으로 실제 경제·경영 현장에서 비즈니스 사고력을 발휘할 수 있는지를 먼저 스스로 살펴야 한다.

기술적으로는 현재 정보기술은 매우 빠른 속도로 발전해 왔다. 새롭게 전개되고 있는 디지털 환경에서 정보기술을 활용해 경제 공동체를 발전시킬 수 있는 경영자의 통찰력과 응용 능력이 절실히 필요한 시기이다. 이러한 기술을 다루는 경영정보시스템의 능력을 갖추고 있으면 새로운 비즈니스 기회를 탐색할 수 있는 통찰력을 기를 수 있다.

이외에도 기술적인 면에서 더 살펴보면 생산관리에 대해서도 관련 능력을 갖추고 있으면 서비스업·제조업 활동을 이해하는 데 필요한 기본 개념들과 경영·생산 계획과 관련된 요소들을 세울 수 있으며 경제의 각 부문을 통합하는 관점에서 생산관리의 장기적인 전략을 세울 수 있도록 할 필요가 요구된다.

또한 경영의 핵심인 재무에 대해서 재무관리 능력을 갖출 필요가 있다. 이를 갖춘다면 경영자 관점에서 자금을 조달하고 운용하는 합리적인 방법에 대해 여러 논리를 근거로 해법을 찾을 수 있다. 이와 함께 투자에 기초가 되는 위험과 수익률의 개념도 알 수 있어 효율적 경영이 가능하다.

경영자는 한결같고 끊임없는 변화를 추구하면서 위기를 기회로 여기는 지속적인 도전과 혁신을 해야 한다. 이렇게 하기 위해서는 해현경장(解弦更張)을 하면서 대체 불가능한 가치를 추구하는 길을 열어야 한다.

한편 시대 변화에 따라 현시대는 미래로 가는 기회의 원년이 될 수 있다. '그래이트 챌린지'라는 말처럼 끊임없이 도전하고 혁신하면서도 상상하지 못할 변화를 추구해야 한다.

또한 스스로 국가대표라고 생각하고 미래 큰 걸음 디딜 기회의 시기를 바라보며 고객가치를 실현해서 성장하면서도 사회구성원과 함께 가는 동행의 길을 추구하는 것이 진정한 경영자이다.

경영자는 반드시 경영경제이해력이 필요하며 아시아지역학을 연구하는 누구나 기본적으로 경영자적 관점을 가지고 해야 한다.

이처럼 아시아지역학 자체가 사실상 경영학이기에 스스로 경영자라고 생각하면서 연구하지 않으면 기성적

서구의 학문 관점에 완전히 사로잡혀서 새로운 아시아
의 길을 볼 수 없기 때문이다.

사회학개론

Introduction to Sociology

아시아를 경영경제이해력을 갖춘 경영자적 관점에서 바라보려면 그 사회 공동체의 특수성을 먼저 파악해야 한다. 이를 위해서는 반드시 사회학개론에 대한 선행적 학습과 이해가 필요하다.

사회학개론은 근대의 정신적, 경제적, 정치적 기본원리에 대해 살펴봄으로써 근대성의 기본적 구조를 개괄하는 학문으로 대중문화, 문화적 다양성, 세계화, 민주주의, 기술과 윤리 등의 주제를 세부적으로 검토함으로써 오늘날의 사회에 놓여 있는 제반 사회학적 쟁점들을 파악하고 이에 대해 어떤 시각을 가져야 하는지 검토하고 고민할 수 있는 시각을 제공한다.

이를 통해 사회의 문제의식, 기본개념, 기본관점을 이해할 수 있고 현대사회 속에서 아시아 공동체와 아시아인 삶의 다양한 부분들이 어떻게 이뤄지는지를 이해할 수 있다.

또한 아시아 사회의 기본원리를 파악할 수 있는 능력을 배양하고, 현대사회에서 발생하는 다양한 주제와 쟁점들을 개괄적으로 파악하고 경영학적 관점에서 아시아를 자유롭게 사유할 수 있는 초석을 마련해준다.

나를 바꾸는 글쓰기

Korean Composition

발전은 곧 변화를 뜻한다. 옛날부터 오늘에 이르기까지 인간에게 발전이 필요했던 이유는 분명하다. 인간은 더 나은 가치를 추구하는 존재이기 때문이다.

하지만 발전을 추구하는 인간의 능력과 수명에는 한계가 존재한다. 그 한계는 반드시 극복되어야 하는데 인간은 그것을 글쓰기로 극복했다.

지식을 전달하는 글쓰기는 종이의 발명으로 새로운 장거리 혹은 초시대적 의사소통의 수단으로 확대되었다. 경영경제이해력을 얻기 위해서 우리는 다른 이가 쓴 지식의 글을 읽었고 그것을 바탕으로 타인과의 경영적 소통 수단도 글을 선택한 경우가 많다.

지금 우리가 살고 있는 디지털 시대는 그 어느 때보다 글쓰기의 중요성이 강조되고 있다. 미디어 매체가 발전하면서 문자 매체가 축소되지만 결국은 문자 매체는 모든 매체의 기본적 대본이므로 그것은 뿌리로 작용한다. 고로 글쓰기의 중요성은 오히려 디지털 시대가 되면서 매체가 늘어나므로 더욱 커진다고 할 수 있다.

그러므로 먼저 글쓰기는 나를 바꿔야 한다. 이 책의 독자는 대부분 한국인이므로 먼저 한국어로 쓰는 경영적 글쓰기를 해야 한다. 그것이 경영경제이해력의 최소한의 밑바탕으로 기술적 작용을 하기 때문이다.

나를 바꾸는 글쓰기는 내가 가진 요소와 속한 공동체를 먼저 이해하면서 가장 편한 모어로 편하게 나를 표현하면서도 기존의 자신을 바꾸고 한 단계 높이는 경영적 글쓰기 방법이다. 그것은 단순한 글쓰기로 보이지만 결국은 경영경제이해력을 발전시키는 하나의 경영학적 방법이기도 하다.

세상을 바꾸는 글쓰기

Writing

      경영적 글쓰기의 기초를 닦았다면 그것을 개인의 것으로 오롯이 가지고 있는 것이 아니라 타인과의 소통 수단으로 사용해야 한다. 말은 순식간에 사라지지만 글을 평생 남기도 하고 심지어 시대를 뛰어넘어 소통할 수 있는 숨겨진 힘을 가지고 있으므로 그 힘을 가지고 세상에 나서야 한다.

      경영학을 공부하고 아시아지역학도 공부한다면 누구보다 다양한 글쓰기와 새로운 경영적 상황에 맞춘 글쓰기 능력을 가지고 있어야 한다. 특히 아시아지역학은 이제 만들어지는 학문이므로 스스로 사용자가 아닌 개발자적 입장과 결심도 동시에 가지고 있어야 하니 더욱 수준 높은 글쓰기 능력을 요한다.

단순한 펜을 굴리는 것이 아니라 그 펜을 통해서 아시아라는 거대한 대륙을 움직이고 그 세상을 바꿀 수 있으며 그 기저에는 경영경제이해력을 깔면서도 문자를 두드리려면 선혈보다 진한 잉크의 힘을 가져야 한다.

나의 성찰이 나를 둘러싼 세계를 발견하고 더 나아가 세상을 재해석하는 것을 목표로 하면서 타인을 자발적으로 추종하거나 지지하게 해야 한다. 고결한 인간은 되지 못하더라도 추한 인간은 되지 않으면서 눈부신 빛으로 뚫을 수 없는 어둠 덩어리를 녹이면서 칼보다 강한 펜의 힘을 실천해야 한다.

또한 세상을 바꿀 수 있는 경영적 글쓰기는 편견에서 벗어나야 한다. 예컨대 우리 사회의 기성적 악습인 사농공상적 관념에서 벗어나서 기술에 대한 가치와 기술자에 대한 존중의 사고를 가지며 글을 쓰는 것도 그 사례로 하나 들 수 있을 것이다.

　이렇듯 경영적 글쓰기와 그것을 아시아지역학에 적용하는 것은 몹시 힘들다. 하지만 경영경제이해력 기반 위에서 이를 실천하는 도구로 글쓰기를 이어나간다면 그것은 단순한 개인의 글이 아니라 세상을 바꾸는 글로 나아갈 것이며 우수한 경영자의 길로 갈 수 있는 하나의 레드카펫이 될 것이다.

제 9 부

아시아 인식의 확장

Expansion of Asian Awareness

새로운 백년의 문턱에 서서

Standing on the threshold of a new hundred years

아시아가 새롭게 주목받고 새롭게 떠오르면서 서구 중심의 기성적 사고가 부서지고 있다. 물론 이 가운데 무질서한 혼란을 포장하는 세력은 경계해야 하지만 아시아의 고유적 가치를 발굴하는 것은 어떤 상황에서도 긍정해야 한다.

과거 백년이 서구에 의한 시대였다면 이제 새로운 백년은 아시아의 시대이다. 이 시대적 상황에서 우리는 아시아 고유 특성에 입각한 연구를 했으며 아시아지역학의 뿌리인 경영학을 살펴보고 아시아지역학과 경영학의 관계를 파악했다.

그러면서도 여러 아시아의 사례에 관해 연구를 하고 나름의 답을 찾아서 본 제9부에 정리했다. 앞에서는 일반적인 학술적 이론에 관해 설명했다면 지금부터는 개별 사례에 관한 합리적 연구 결과를 설명하기에 좀 다른 느낌을 독자가 받을 수 있다.

새로운 백년을 준비하는 이 시기에 아시아지역학의 가치를 알고 그 본연의 어머니 역할을 한 경영학을 다시 재조명하고 살펴봄으로써 원래의 아시아지역학이 가진 모습을 찾고 그것을 바탕으로 새로운 역사적 길로 함께 나아가길 청하면서 글을 마친다.

법학과 아시아지역학의 관계

Integrated Studies in Asian Area and Laws

법학은 법률에 대한 것을 다루는 학문이다. 이러한 법률은 공동체에서 개별 인간에게 사회가 강제적으로 부여하는 규범으로 이를 위반하면 강력한 제재를 받는다는 점에서 일반적인 도덕이나 윤리와 다른 독특한 면모가 있다.

또한 법학은 그 고유의 영역이 분명히 존재하며 법을 위한 법이 존재하는 것에서 알 수 있듯 사회적으로 공동체를 유지하기 위한 물리적 강제력과 함께하는 아주 효율적인 도구라고 할 수 있다.

이러한 법학이 아시아에도 전통적으로 있었으나 근대 이후 서구의 법학을 받아들이면서 기존에 아시아가 가진 법률을 업그레이드하여 시대상에 맞게 재설계하고 불비한 부분을 보완한 역사가 있다.

아시아지역학은 기본적으로 아시아를 다루고 경영학적 관점에 입각한다. 하지만 인간 공동체에서 법학이라는 독특하고 고유하면서도 개별 국가의 내밀함을 담고 있는 수단은 존재하지 않으므로 아시아지역학에서는 법학과 관련 개념을 다수 빌릴 수밖에 없다.

이러한 점에서 아시아지역학은 응용학문 성격상 법학을 받아들인 측면도 있지만 그 고유적 학문 특성과 아시아라는 다양성과 특수성을 모두 살피기 위한 수단으로도 받아들인 것이므로 법학에 대해서도 깊은 관심이 요구된다.

현대 동학 철학의 이해

Understanding Modern Donghak

인간이 탄생하고 부족이 생기고 그것이 국가로 나아가면서 어느 국가이든 해당 국가를 하나로 이끄는 정신문화가 탄생했다. 이러한 정신문화가 체계화되어 하나의 철학 사조로 이어지는 데 우리 한국에도 그러한 것이 존재한다.

그것은 바로 동학이다. 우리는 동학이 최제우 선생에 의해 탄생했다고 알지만, 이는 절반만 사실이다. 동학은 고조선부터 이어져 오는 한국의 고유 철학 사조를 집대성한 것이고 그 이후 한국의 고유 철학이나 종교도 모두 동학에서 나온 것이다.

일례로 무교(巫敎), 선교(仙敎), 원불교, 증산교, 대종교 모두 동학에서 그 뿌리를 두고 있다. 이는 동학에서의 동이 단순한 서학의 반대가 아니라 동국(東國)이라는 의미이다. 이러한 동국은 단국(檀國)이라고 부를 수도 있는데 그 자체가 한국이라는 뜻으로 한국 고유철학이라는 말을 축약한 것이나 다름없다. 고로 유불선 합일이라고 주장하면서 동학이 유교, 불교, 도교를 섞었다는 것은 일제가 만들어낸 허구의 주장이다.

동양철학이나 종교에서 불교나 유교는 인도, 중국에서 건너온 외래 사상이고 결과적으로 그것이 우리나라에서 응용되어 새로운 발전을 이룬 것은 사실이지만 고유의 사상은 아니므로 민족의 정신적 총체가 될 수 없다. 고로 동학만이 우리 민족의 유일한 정신적 총체이자 철학이다. 동학은 고조선부터 그 역사와 뿌리를 두고 있다. 고조선의 단군 설화도 동학의 사상을 그대로 담고 있다.

인간은 동물과 다른 이성을 가진 존재이다. 생물이 진화하여 인간이 탄생하고 이성이라는 것이 생겨나면서 동물과 다른 구분 점을 가지게 되었다. 동물은 본능에 따라 제한된 범위 내에서 기계적으로 움직인다면 인간은 창조적이고 자주적으로 움직이며 시대적 제약조건이 있지만 그 인식은 무한하게 할 수 있는 특징이 분명히 있다.

다만 이러한 인간의 이성이 발전함과 동시에 가족이 확대되어 국가라는 개념이 세상에 등장하자 인간은 그 국가를 이끄는 하나의 이데올로기를 만들 수밖에 없다. 이는 위정자의 통치 효율성 측면도 있지만 공동체의 기본적인 결속을 위한다는 점에서 무조건 지배계급의 학술적 폭력이라고 단정할 수는 없다.

고조선도 이러한 흐름 속에서 탄생했다. 그 설화를 살펴보면 환인은 신의 무리로 보이며 신성시되고 이들에게 곰과 호랑이가 찾아와 인간이 되기 위해 비는 것이다. 그리고 곰은 동굴에서 쑥과 마늘을 먹고 웅녀가 되어 환인과 결혼하고 단군을 출산했지만, 호랑이는 그렇지 못하여 뛰쳐나갔다.

여기서 환인은 인간이 추구하는 절대적 가치이자 동시에 신이라고 부를 수 있는 순수하고 무결한 일종의 철인을 의미한다. 곰과 호랑이는 원시적인 상태의 인간으로 사실상 동물과 다를 바가 없는 그 본능만 존재하는 대상이다.

곰은 인간이 되고 환웅과 결혼하는 것은 곰과 같은 성격을 가진 이는 인간으로 되지만 호랑이와 같은 성격을 가진 이는 인간이 아닌 동물 상태에 머무른다는 것이고 결혼은 동물에서 탈피하여 신과 비슷한 수준으로 나아간다는 것이다.

여기서 곰은 미련한 듯 보이지만 용맹하면서도 인내심이 있고 본능을 누른다면 호랑이는 폭력적이고 힘은 강하지만 인내심이 없다는 것이다. 즉 본능을 인내하는 마음 속에서 이성이라는 것이 탄생하고 그것이 인간처럼 보이게 한다는 것이다.

동학은 기본적으로 인격신을 인정하지 않는다. 또한 서구의 신이나 절대자의 존재를 상정하지 않는다. 그저 신(한울님)은 하늘이 아니라 인간 누구에게나 있다는 것이다. 소위 원불교의 일원상으로 이 부분은 사람들에게 많이 알려져 있다.

인간이 신이라는 존재를 만든 것에 대해서 동학은 인간은 불완전하고 완벽하지 못한 존재인데 자신이 노력해서 바꿀 수 없는 부분이고 누구나 맞이하는 죽음과 같은 것에서 탈피하고 완벽해지고자 하는 욕망이 투사된 존재로 그것이 인격적으로 실존하는 것은 비과학적이고 비논리적이므로 부정하지만 그러한 한울님으로 대표되는 그 절대적 존재가 내면에 있다는 것은 좀 더 이성적이고 완벽하고 윤리적인 인간 존재로 나아가고자 하는 개인의 노력과 욕망을 총체한 것이다. 그리고 그 것이 시천주 사상이다.

그러나 단순히 이것만 존재한다면 이기적인 욕망과 개인의 성취에만 국한된다. 그리고 그것은 사회적 존재인 인간이 사는 공동체 내부에서 만인에 대한 만인의 투쟁을 불러 일으킨다. 그래서 동학은 인내천 사상을 통해 자신의 존재가 고귀하듯 타인도 고귀하며 누구나 평등하고 존중해야한다는 인간 존중 사상과 생명 사상을 드러낸다.

또한 이러한 것에서 파생되어 인간 역시 자연에서 나온 일부이고 자연과 구분되지만 분리될 수 없는 존재이므로 자연 그 자체에 대한 인식과 존중을 요하는 점에서 일부 유물론적 특징을 가진다.

결국 동학은 개인과 자연을 하나의 세계로 보며 분리할 수 없다고 본다. 그 속에서 각자의 존재의 개성과 특성을 존중하고 상호 간의 행복과 평안을 누리고 공동체의 평화를 추구하면서도 인간의 창조성과 인식의 무한함을 긍정한다. 이를 통해서 미지의 세계에 대한

용기있고 과학적인 도전 정신도 부여하는 것이다.

다만 역사상 과학 발전의 속도가 늦어 이러한 철학적 관점을 대중에게 쉽게 설명하기 위해 신비스럽거나 비과학적인 비유를 설명한 부분은 있다. 하지만 본질에서 논리적이고 과학적이면서도 인간에 집중하나 그것의 자연적 실체도 인정하는 모습에서 현대 과학과 거의 입장을 같이 한다고 볼 수 있다.

그러므로 인간과 자연의 과학적 본질을 보면서도 초현실적인 개념을 인간이 왜 느끼고 가지고 있는지도 알면서 진리에 대해서 탐구하는 본연의 자세로 나가가는 점이 특징적이다. 그 속에서 정이나 한 같은 한국 고유의 문화적 가치고 만들어내고 유교의 중국, 불교의 인도와 다른 동학의 한국적 모습과 철학도 보여준다.

이러한 동학 철학은 한국 전통 철학의 총체이자 집대성이고 이후 모든 한국 철학도 여기에서 갈라져 나왔다는 점에서 민족적 정신 뿌리이기도 하지만 그 합리성과 과학성의 측면에서는 인류 공동의 학술적 자산이기도 하다.

고로 동학 철학을 협소하게 바라볼 것이 아니라 한국 철학의 모든 것으로 봐야 하며 이것을 더욱 한국적이고 독창적이면서도 창조적으로 인류의 보배가 되도록 발전시키면서 인간 상호 간의 좋은 정신적 연대의 도구로도 활용할 필요성이 제기된다.

위헌 정당 해산의 기준

Standard for dissolution of an unconstitutional political party.

정당은 공공연한 정치 결사체로 그 역할과 활동은 공식적인 표현행위로 이루어진다. 그러니 정당의 활동은 공식적인 행위로 그 표현에 있어 맥락을 파악하여 해석하나 그 표현행위를 수단으로 삼아 다른 속내를 그 속에 담고 표면적으로는 속내와 다른 주장을 하는 경우가 있다. 이 경우 숨겨진 속내를 파악하여 정당의 뜻과 가치를 반드시 알아내야 하고 표면적인 표현행위만 대상으로 하여 그 속내가 어떠하다고 주장할 수 없다.

다만 이러한 측면에서 속내와 표현행위가 일치하

고 그것이 해로운 가치를 담고 있음에도 이것이 사회적 문제가 될 때 실제 속내는 다르다고 주장하는 것을 법리적으로 받아주는 것은 개인의 경우 헌법상 양심의 자유가 보장되어 가능하지만, 정당은 악용의 우려가 있고 별도의 정치 결사체이므로 사인보다 좀 더 협소하게 적용해야 한다.

그리고 한국의 정당은 대부분 과두 중심의 정당이므로 실제 비율은 낮아도 당의 핵심적 인사가 반헌법적 사고를 행하고 그것을 공공연히 주장하면서 이를 추종하는 세력을 형성함에도 그것을 당 내부에서 자정하지 못한다면 그 정당은 해산하는 것이 다수의 공리에 부합한다.

특히 이 경우 원내정당처럼 좀 더 많은 정치적 권력을 가지는 경우 그러한 것을 좀 더 강하게 적용하여 단순한 원외정당보다 해산의 기준을 좀 더 낮게 적용해야 한다. 사고 자체는 문제가 되지 않지만, 그것을 표출하면 경계해야 하고 행동에 취하려는 모습을 보이는 데 그러한 힘을 가진 정당이라면 사실상 행동한 것이나 다를 바가 없기 때문이다.

또한 그 과정에서 정당 내부 선거가 조직적인 주류 세력에 의해 부정적으로 여러 번 일어나고 반민주적인 사상과 사고가 만연하면서도 이를 폭력에 의해 하겠다는 의사를 보인다면 이는 민주주의에 대한 도전 행위이므로 사실상의 내부적 실천과 결의를 한 것과 다를 바가 없으며 그것이 외부로 표출되는 것은 시간 문제라고 할 수 있다.

이 가운데 위에서 언급한 것처럼 소위 비주류나 당원의 내부적 자정이 불가하고 당원은 동원되며 소위 비민주적이고 반헌법적인 행동에 동원되고 행하는 것이 우려되는 경우 그것이 지속해서 발생하고 우리 사회의 해가 될 때는 반란과 같은 직접적인 물리적 행위가 없더라도 정당을 해산시키는 것이 옳다. 특히 이러한 위헌 정당이 약자라는 이미지를 씌워서 언더도그마를 시도하는 경우가 있는데 이는 몹시 유해한 것이므로 이를 잘 구분할 필요가 있다.

기본적으로 정당은 선거에 의해 심판받고 때로는 정치적 권리를 잃어버리지만, 그것을 기다리기에 시간이 촉박하고 위급하면서 위에서 언급한 반민주적이고 반헌법적인 견해와 행동이 발생하고 내부 자정도 안 되면서 다수 국민의 지지까지 받은 상태라면 정당을 해산하지 않는 것은 오히려 집권 세력이 무책임한 것이다.

또한 이러한 정당 해산에는 반드시 선출직 공직자의 그 자격 박탈을 해야 한다. 그러한 점에서 일부분만 자격을 박탈하고 사인에 대한 제한적 사법 처리가 일어났다면 그것은 그 정당에 대한 최소한의 배려이고 다소간에 정당 해산이 조급히 일어난 것에 대한 반대급부로 내부의 비주류 세력에게 최소한의 기회를 제공하는 것이다.

아울러 헌법재판소처럼 일종의 심사 기구를 통해 공정하게 해산이 되었다면 그 내부에서 최대한 만장일

치로 표명하도록 해야 하며 소수의 반대 의견은 일종의 법리적 우려 사항과 해산 이후의 내부의 극소수의 민주적 소수파를 배려하는 차원이지 그것을 빌미로 해서 해산의 부당성을 주장하는 것은 민주주의를 훼손하는 것이다. 고로 그 소수의견은 심사 과정에서 '악마의 대변인' 역할을 하며 심사숙고하도록 도움을 주고 극소수의 민주적 소수파가 도매금으로 묶여서 정치적으로 억울하게 박해받는 것을 방어하는 하나의 수단이지 그 자체가 하나의 결론이나 진리 혹은 면피의 수단으로 악용해서는 안 되는 것이다.

고로 정당해산에 대해서는 엄격히 이루어져야 하지만 그 성격이 민주주의에 대한 위협의 방어와 그 상황 자체가 시간상으로 촉박할 수밖에 없는 사안의 기본적 특성을 고려한다면 위에서 언급한 것이 공정히 적용될 때는 그 정당은 반드시 해산해야 하며 그 평가가 국민에 의해 정당성이 추인된다면 그것에 대해서 별도의 이견을 제시할 수는 있으나 그 자체를 부정하거나 훼손하는 것은 반민주적이고 반헌법적이다.

화인을 통해 보는 문명과 역사

Civilization and history seen through Overseas Chinese

세계 4대 문명 중에서 현재까지 주류 민족이 교체되지 않고 하나의 문화적 공동체를 이루는 것은 중국이다. 이러한 점에서 중국은 몹시 독특한 국가이며 문명적으로 깊은 고찰이 필요한 국가이기도 하다.

그러나 중국인이 밖에서 나가 별도의 문명 공동체를 형성한 것이 통칭 '화교'라고 불리는 '화인'이다. 그들은 그 나라에 적응하지만, 별개의 중국이라는 문화적 코드가 깊이 남았다는 점에서 다른 민족의 이민과 다른 독특한 면모가 있고 이는 문명에 관한 연구에 있어 상당히 흥미롭고 중요하다.

과거 중국은 진의 최초 통일 이후 초한 쟁패기에 귀족 가문 출신인 항우와 강소성 농가 출신인 유방의 내전이 있었다. 이때 유방은 강성한 항우에게 위기에 처하니 자존심을 굽히며 사과하여 위기를 넘기는 지혜를 발휘했다. 하지만 항우는 진나라 수도인 함양을 정복하고 여산릉을 파괴하고 아방궁을 불태우는 등 자만하여 여러 만행을 저질렀다.

그러므로 중국은 유방에 의해 재통일되었고 이때 건국된 국가가 한이며 이 국호는 현재 중국 주류 민족인 '한족'에 새길만큼 그 역사적 가치가 깊은 국가이었다. 그리고 그 국가의 전통은 화인들도 가지고 있다.

특히 현대 중국이 공산당에 의해 지방 세력이 소멸하고 중앙집중화되었다는 점에서 화인들은 일종의 과거 한의 군국제처럼 하나의 제후 세력과 유사한 느낌의 문명 공동체로 보이기도 한다.

그러므로 화인이 현재 시대에서 보여주는 여러 가지 측면은 과거 역사부터 유래했으며 문명적으로도 몹시 깊은 연구 대상이므로 그 자체를 문명과 역사로 하여 다룰 수 있고 화인 자체가 인류의 모든 것을 직접 또는 간접적으로 담고 있으므로 그 자체를 또한 문명과 역사로 부를 수도 있다.

편입학 학생의 학점 인정 방식

Credit recognition method for students who transferred

근래에 한국 사회의 고등교육 현상이 변화하면서 대학을 편입하는 학생이 증가하고 있다. 이에 따라서 각 대학의 편입학 학점 인정 방식이 제각기 달라 많은 혼란을 겪고 있다. 특히 아시아지역학은 경영학의 영향을 받은 신생 학문이므로 더욱 기준이 모호하여 본 연구회가 표준적인 기준을 제시하고자 한다.

경영학 관련 학과에서 이를 이수하고 아시아지역학을 1전공 혹은 2전공으로 하여 편입하는 경우 본 연구회에서 제시하는 학점 인정 방식을 따르면 대학 내부의 편리하면서도 효율적인 학습 및 교육 환경 구현이 가능할 것이다.

보통 대학의 편입하는 경우 제1전공 학점에 포함되는 학점, 교양 학점, 자유 학점으로 구성되어 학점을 인정한다. 이에 따라서 본 연구회는 제1전공, 교양, 자유 학점으로 환산하여 학점 인정을 하는 방식을 아래와 같이 제시한다.

제1전공 학점(아시아지역학을 제2전공으로 편입한 경우도 동일하다)으로 인정되는 학점은 전적 학점 중 전공필수[1]를 그대로 인정한다. 교양으로 인정되는 학점은 전적 학점 중 전공선택 학점을 2분의 1로 나눈 것에 교양 학점을 5분의 2로 나눈 것을 합산하여 학점을 인정한다.

자유학점은 보통 교양으로도 인정하고 제2전공학

---

1) 학점은행제를 이수한 학생의 경우 자격과 독학학위제 시험면제인 전공필수 학점은 전공선택으로 간주하여 계산한다.

점으로도 인정되는 특수한 학점으로 분류되는 것을 의미하는데 이러한 자유로 인정되는 학점은 전적 학점 중 자유 학점을 53분의 10으로 나누어서 학점을 인정한다.

위와 같은 편입 학점 인정 기준을 통해서 효율적인 아시아지역학의 학사 과정 이수를 돕고 학생들에게도 명확한 기준을 범학교적으로 제시하여 아시아지역학의 발전과 안정에도 기여할 것으로 기대된다.

아시아지역학의 경영학적 접근

발행 2024년 01월 08일

지은이 대한아시아지역학연구회
발행처 주식회사 부크크
출판등록 2014.07.15. (제2014-16호)
발행인 한건희
주소 서울특별시 금천구 가산디지털1로 119 SK트윈타워 A동 305호
이메일 info@bookk.co.kr
전화번호 1670-8316
ISBN 979-11-410-6516-4

값 20,000원